Le Verre de Murano

De la Renaissance au XXIe siècle

ROSA BAROVIER MENTASTI ET CHRISTINA TONINI

TRADUIT DE L'ITALIEN PAR GÉRARD-JULIEN SALVY

D0369432

Influencé par un célèbre savant et alchimiste de l'époque, Paolo da Pergola, le verrier Angelo Barovier (1405-1460) améliora les techniques de fabrication. On lui attribue l'invention du cristal vénitien, incolore et d'une pureté exceptionnelle, d'un *lattimo* (verre blanc opaque) adapté au soufflage et d'un verre calcédoine dont les veinures sont semblables à celles d'une variété de calcédoine naturelle. Ces secrets de fabrication se répandirent dans toutes les autres verreries de Murano.

Cette coupelle en cristal vénitien comporte à sa base 40 nervures ; sous sa bordure, une bande décorée de feuilles d'or est ponctuée de petits points d'émail bleus et blancs. Il s'agit d'un type assez répandu dont on a retrouvé trois exemplaires à Southampton, principal port d'arrivée de la verrerie vénitienne en Angleterre. Le tableau de Piero di Cosimo, *Vierge à l'Enfant*, montre une coupelle identique. Dès le XVe siècle, les peintres ont représenté sur leurs toiles différents objets de verre. Ils en étaient d'ailleurs quelquefois collectionneurs, comme le montrent des inventaires et testaments.

Un long canal non loin de la ville [Venise], telle une rivière,
mène à une petite cité appelée Murano, située au milieu de l'eau.
Dans cette petite cité ne vivent que des verriers qui soufflent un verre
produit par des cendres en fusion, tels des verres et d'autres objets
de verre dorés fort coûteux, au point que l'on dit qu'un seul entrepôt
fut évalué à dix mille ducats.

Arnold von Harff, *Le Pèlerinage du chevalier Arnold von Harff de Cologne…*, 1497

Piero di Cosimo, *Vierge à l'Enfant*, 1485-1490?

Coupe en cristal, émaux et feuille d'or, 1500-1525

Murano, l'île du verre

Venise et les îles de la lagune, dont Torcello et Murano, se trouvaient à l'extrémité de routes commerciales importantes, reliées aux ports de Méditerranée d'où provenaient des marchandises rares et précieuses venant du plus lointain Orient. Par ces routes se transmettait aussi le savoir-faire des artisans. Ainsi au Moyen Âge, grâce à l'apport de la technologie orientale, put se développer à Venise un art du verre de très haute qualité. Un document datant de 982 après J.-C. cite le nom d'un certain Dominicus Fiolarius (fabricant de fioles et de bouteilles en verre), actif à Venise. Dès le XIIIᵉ siècle, les ateliers des verriers furent déplacés à Murano, avant même qu'un décret de 1291 n'interdise la construction de fours à verre en ville.

Venise reçut aussi du monde islamique la technique de la peinture à l'émail sur verre. Le verre médiéval le plus célèbre conservé à ce jour porte en caractères gothiques la mention *« Magister Aldrevandin me fecit »* (« Maître Aldrevandin m'a fait »). Il est décoré de blasons souabes, preuve que ces verres étaient souvent commandés par les membres des classes sociales européennes les plus élevées.

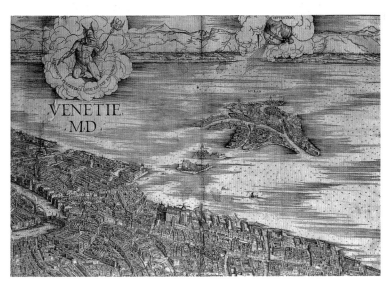

Vue de la ville de Venise, détail de l'île de Murano, xylographie de Jacopo de Barbari, fin du XVᵉ siècle

Verre d'Aldrevandin, fin du XIIIᵉ-première moitié du XIVᵉ siècle

Table des illustrations

Couverture
Coupe *a reticello*, 1550-1575. Brescia, Musei Civici d'Arte e Storia. © Archivio fotografico Musei Civici d'Arte e Storia di Brescia, Fotostudio Rapuzzi.

Page de garde
Dessin d'un vase avec une monture en bronze, provenant de la collection du cardinal del Monte, protecteur du Caravage, et réalisé dans la verrerie des Médicis à Florence par les maîtres verriers de Murano « à la façon de Venise », XVIIᵉ siècle. Florence, Biblioteca Nazionale Centrale.

Murano, l'île du verre
Ouverture
Vue de la ville de Venise, détail de l'île de Murano, xylographie de Jacopo de Barbari, fin du XVᵉ siècle. Venise, Museo Correr. Photo Electa/Leemage.
Verre d'Aldrevandin, fin du XIIIᵉ-première moitié du XIVᵉ siècle. Photo The British Museum, Londres, Dist. RMN-Grand Palais / The Trustees of the British Museum.

Dépliant
Piero di Cosimo, *Vierge à l'Enfant*, 1485-1490? Stockholm, collections royales.
Coupe en cristal, émaux et feuille d'or, 1500-1525. Venise, Museo del Vetro. Photo Dennis Cecchin. © Archivio Fotografico-FMCV, 2013.
Coupe *lattimo* avec joueur de luth et jeune dame, émaux et feuille d'or, 1500-1510. Prague, National Museum. © National Museum, Prague (République tchèque).
Acquamanile en verre calcédoine, première décennie du XVIᵉ siècle. Florence, Museo del Bargello/Istituti museali della Soprintendenza Speciale per il Polo Museale Fiorentino. © Su concessione del Ministero per i Beni e le Attività Culturali.

De la fusion au soufflage, le travail du verrier
Ouverture
Gamme de couleur du verre. Photo Lorenzo Trento/DR.
Agricola, *De re metallica* (détail), gravure, 1554-1556. Photo Archives Gallimard.
Matériaux avant fusion. Photo Alizy/Gallimard.

Dépliant
Gourde de pèlerin à filigrane *a retortoli* et soufflé dans un moule, fin du XVIᵉ-début du XVIIᵉ siècle. Naples, Museo Nazionale di Capodimonte. Per gentile concessione fototeca Soprintendenza Speciale per il PSAE e per il Polo Museale della città di Napoli. © Photo Claudio Garofalo, Naples.
Coupe *a reticello* (détail et ensemble), 1550-1575. Brescia, Musei Civici d'Arte e Storia. © Archivio fotografico Musei Civici d'Arte e Storia di Brescia, Fotostudio Rapuzzi.
Seau à glace, verre craquelé et feuille d'or, 1560-1570. Brescia, Musei Civici d'Arte e Storia. © Archivio fotografico Musei Civici d'Arte e Storia di Brescia, Fotostudio Rapuzzi.
Bol à couvercle (détail et ensemble), gravé à la pointe de diamant, deuxième moitié du XVIᵉ siècle. Brescia, Musei Civici d'Arte e Storia. © Archivio fotografico Musei Civici d'Arte e Storia di Brescia, Fotostudio Rapuzzi.

Le prestige des verres peints
Ouverture
Flacon en cristal décoré aux armes des Hirschvogel et des Höltzel, de Nuremberg, 1510-1511. Londres, Victoria and Albert Museum. © Victoria and Albert Museum, London.
Verre, cristal, émaux, gravure à la feuille d'or, 1500-1510. Coburg, Kunstsammlungen der Veste Coburg. © Kunstsammlungen der Veste Coburg (Allemagne).

Dépliant
Coupe nuptiale en verre bleu à décor d'émail orné du *Triomphe de la Justice*, dernier quart du XVᵉ siècle. Florence, Museo del Bargello/Istituti museali della Soprintendenza Speciale per il Polo Museale Fiorentino. © Su concessione del Ministero per i Beni e le Attività Culturali.

La table à la Renaissance
Ouverture
Aiguière (broc) *a retortoli*, deuxième moitié du XVIᵉ siècle. Turin, Musei Civici. Photo Archivio fotografico della Fondazione Torino Musei, Turin.
Calice avec nœud à losanges, 1525-1550. Milan, Castello Sforzesco, Civiche Raccolte d'Arte Applicata. © Ville de Milan, tous droits réservés. Paris Bordone, *La Cène* (détail), peinture, milieu du XVIᵉ siècle. Venise, église San Giovanni in Bragora. Photo Bridgeman-Giraudon.

Dépliant
Girolamo Romanino, *Le Repas chez Simon* (détail), vers 1544. Brescia, église San Giovanni Evangelista. Fotostudio Rapuzzi.
Salière, cristal, 1525-1550. Coutances, manoir de Saussey. Photo Valéry Joubault.
Aiguière en cristal ornée des blasons de deux familles de Nuremberg, début du XVIᵉ siècle. The Museum of Decorative Arts in Prague.
Coupe Gonzague, 1500-1520. Milan, Castello Sforzesco, Civiche Raccolte d'Arte Applicata. © Ville de Milan, tous droits réservés.
Calice *a retortoli*, deuxième moitié du XVIᵉ siècle. Cobourg, Kunstsammlungen der Veste Coburg. © Kunstsammlungen der Veste Coburg (Allemagne).
Le Caravage, *Bacchus*, peinture, 1595-1597. Florence, Galleria degli Uffizi. Photo Luisa Ricciarini/Leemage.

Miroirs et lustres, les inventions du baroque
Ouverture
Citron, 1700-1725. Naples, Museo Nazionale di Capodimonte. Per gentile concessione fototeca Soprintendenza Speciale per il PSAE e per il Polo Museale della città di Napoli. © Photo Claudio Garofalo, Naples.
Trembleuse, Verrerie Miotti, 1730-1750. Naples, Museo Principe Diego Aragona Pignatelli Cortes. Per gentile concessione fototeca Soprintendenza Speciale per il PSAE e per il Polo Museale della città di Napoli. © Photo Claudio Garofalo, Naples.
Miroir, fin du XVIIᵉ siècle-début du XVIIIᵉ siècle. Venise, Museo del Vetro. © Archivio Fotografico-FMCV, 2013.

Dépliant
Surtout de table en verre à forme de jardin reposant sur un miroir, 1750-1775. Collection privée.

Fred Wilson, *Iago's mirror*, 2009

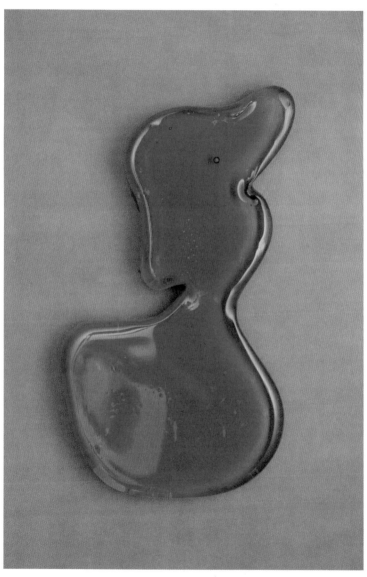

Jean Arp, *Collage n° 2*, 1964

Vers 1934, le style Novecento se transforme et on commence à réaliser des vases soufflés en verre transparent très épais, à couches colorées superposées avec des insertions et des surfaces diversement traitées. C'est aussi l'époque où apparaissent les premières sculptures en verre massif.

Parmi les designers, on notera les noms de Carlo Scarpa, Flavio Poli, Ercole Barovier, et, parmi les maîtres verriers, ceux d'Alfredo Barbini et Archimede Seguso.

Vase en verre à bulles d'air avec feuille d'or et couche extérieure en cristal, Venini & C., dessin de Carlo Scarpa, 1934

De nouveaux défis pour le XXIe siècle

Pour inciter les artistes à venir dans les ateliers de Murano afin d'y créer des pièces uniques, Egidio Costantini fonde, en 1953, le Centro Studio Pittori nell'Arte del Vetro. C'est ainsi qu'on verra y travailler des artistes tels que Lucio Fontana, Pablo Picasso, Marc Chagall, Jean Arp et Jean Cocteau, qui rebaptisera cette institution du beau nom de Fucina degli Angeli (La Forge des Anges), ainsi que de jeunes artistes vénitiens qui avaient adhéré au mouvement spatialiste créé par Fontana. Le verre est alors devenu un véritable médium artistique, que ce soit aux États-Unis avec le Studio Glass, en Tchécoslovaquie avec des sculptures en verre et à Murano avec Luciano Vistosi, Livio Seguso et Lino Tagliapietra. Depuis une vingtaine d'années, la Vetreria Anfora s'est fait connaître en attirant des artistes de tous horizons.

César, *Compression Coca-Cola*, 1992

Marc Chagall pour Egidio Costantini, *Risveglio della Natura*, 1954

Le verre est un matériau qui convient particulièrement bien à Jean Arp, car il lui permet de réaliser les formes fluides et organiques qui caractérisent son style, ici le monochrome de 1964, et, plus tard, en 1966, l'année de sa mort, des sculptures. Le monde coloré et onirique de Chagall se retrouve dans ses sculptures en verre réalisées au milieu des années 1950 à la Fucina degli Angeli.

Vase *Argo a reticolo*
extérieur cannelé,
Barovier & Toso, dessin
d'Ercole Barovier, 1960

Après la Seconde
Guerre mondiale,
Murano renoue avec
les techniques
antiques, comme le
filigrane et la *murrina*,
en les adaptant au
goût du jour avec
des couleurs vives,
des décorations
audacieuses et des
formes très stylisées.
À la même époque,
le verre massif et
très épais, déjà
expérimenté
à l'époque du
Novecento, est repris
pour des créations
nouvelles. Des ateliers
se créent, de plus
en plus d'artistes
s'intéressent à ce
média ; Murano vit
alors une période
d'extraordinaire
prospérité.

Assiette Op en verre
murrino, Salviati & C.,
dessin de Luciano Gaspari,
1966

Une polychromie audacieuse et une extraordinaire virtuosité de l'exécution à chaud caractérisent le verre vénitien de la seconde moitié du XIXe siècle. Les maîtres verriers prennent leurs distances avec les modèles historiques et enrichissent leurs verres soufflés d'extravagantes applications décoratives, comme des dragons, des serpents, des cygnes et des dauphins. L'atelier des frères Toso, fondé en 1854, était parmi les plus renommés dans le domaine des *galanteries*.

Verre orné de trois dragons et d'un dauphin, Fratelli Toso, vers 1900

Archimede Bresciani, *Verres et pomme*, vers 1925

Vase Véronèse, Vetreria Cappellin Venini & C., dessin de Vittorio Zecchin, 1921

Un renouvellement radical de la production se produisit en 1921, lorsque Vittorio Zecchin, directeur artistique de Cappellin Venini & C., proposa une collection d'objets en verre très fins et monochromes, inspirés de ceux en cristal que l'on voit dans les toiles des grands peintres de la Renaissance, comme Titien, Tintoret et Véronèse. Ils s'accordaient parfaitement à l'ameublement moderne du premier après-guerre.

Pour les verres de Murano, plus que pour tout autre produit des arts décoratifs, la distinction par rapport à l'art n'a jamais paru aussi injustifiée : légers comme des bulles de savon, fragiles et suprêmement inutiles.
Giulia Veronesi, *Stile 1925*, 1978

Du XIXᵉ siècle au design

Après la chute de la République de Venise, en 1797, les ateliers de verre de Murano subissent une longue crise qui ne s'acheva qu'au début des années 1860. L'artisan de ce renouveau, Antonio Salviati, exhuma avec ses ouvriers les techniques du passé et produisit des collections inspirées des styles historiques qui remportèrent un grand succès lors des expositions universelles. Certains des maîtres verriers de l'entreprise Salviati – les Barovier, les Moretti, les Seguso – fondèrent ensuite de prestigieux ateliers indépendants. Mais cette production fut aussi largement critiquée pour ce repli sur son glorieux passé. C'est ainsi que Murano ignora l'Art nouveau, facteur de renouvellement dans d'autres pays, et n'entra dans la modernité que vers 1910, grâce à des entreprises et des artistes liés à la fondation Bevilacqua la Masa, qui stimula le renouveau de l'art et des arts décoratifs à Venise.

Recopier tout ce que Venise fit jadis, toute cette verrerie d'étagère, d'amusement, de difficulté, reconstituer les jaspures du verre antique. […] Voilà ce que fait Venise.
Alfred Robert de Liesville, *Exposition Universelle*, 1878

Luigi Gasparini, *Portrait de Giuseppe Barovier*, 1893

Giuseppe Barovier (1853-1942), maître verrier, se fit représenter entouré de verres de style archéologique et baroques qu'il avait réalisés.

Vers 1928, s'impose à Murano le style Novecento, la version italienne du style moderne des années vingt et trente, qui proposait dans le domaine des arts décoratifs des formes solides et comme sculptées. L'utilisation du verre opaque ou semi-opaque renforce l'impact plastique des vases, toujours soufflés de façon à être très fins et ne s'inspirant plus des formes de la Renaissance.

Vase de verre rouge opaque, Zecchin Martinuzzi Vetri Artistici e Mosaici, dessin de Napoleone Martinuzzi, 1933-1934

cale en 1720. *Trois Belliconi ou véritables grands verres avec un pied*
avec un filigrane blanc, et dans ledit pied une grande quantité

des grands bouquets de fleurs eux aussi émaillés de diverses couleurs.

Verre *a reticello* décoré de fleurs et de dauphins,
1709-1710

Verre en cristal à pied décoré de fleurs appliquées,
1700-1710

Lustre du XIXᵉ siècle en verre de Murano à la fondation Querini-Stampalia de Venise, inspiré d'un exemplaire du XVIIIᵉ siècle.

Les fêtes données en l'honneur des « comtes du Nord », c'est-à-dire le futur tsar Paul Iᵉʳ, fils de Catherine II, et l'archiduchesse Maria Feodorovna, en visite à Venise en 1782, furent immortalisées par une suite de six toiles de Francesco Guardi ainsi que par d'autres œuvres d'un peintre de moindre importance, Gabriel Bella. Le *Concert de dames* de Guardi restitue l'élégant cadre d'un Casino destiné à la musique. On remarque en particulier les *ciocche*, c'est-à-dire les lustres de cristal qui, souvent, n'étaient pas un élément permanent mais étaient accrochés à l'occasion d'événements importants. On notera aussi le somptueux « fond de salle » constitué de miroirs disposés l'un à côté de l'autre et insérés dans des cadres de bois sculpté et doré.

Dans la manufacture de cristal de Briati, qui est à Venise dans le Rio del Azelo [aujourd'hui des Carmini] près Sainte-Marie-Majeure, il se fait des ouvrages de la plus grande délicatesse ; j'y ai vu des lustres de 6 à 7 pieds de diamètre [deux mètres ou un peu plus], on les appelle ciocche.

J.-J. de Lalande, *Voyage en Italie*, 1786 (à Venise, en 1766)

Miroir, fin du XVIIᵉ siècle-début du XVIIIᵉ siècle

Gabriele Salci, *Fruits, cristaux et instrument*, 1716

Inventaire des verres vénitiens offerts à l'empereur de Chine par une délégation po▌

assez haut, et ses couvercles, les corps desquels sont de cristal éma▌

de fleurs émaillées de nombreuses couleurs, et au-dessus des couverc▌

Le verre dans tous ses excès

Les verres soufflés du XVIIIe siècle se distinguent par leur vive polychromie, qui s'accorde aux arts appliqués de l'époque. Les *lattimi*, de nouveau à la mode à la suite de l'ouverture de manufactures de porcelaine en Europe, sont riches de décorations émaillées dorées : fleurs, oiseaux, scènes bibliques inspirées de Raphaël, mais aussi vues de Venise reprises des gravures de Canaletto, qu'avaient commandées quelques aristocrates anglais en souvenir de leur « Grand Tour ». Malgré le succès dont bénéficièrent ces objets, Murano subit une crise en raison de la concurrence des verres de Bohême, plus brillants et gravés à la meule, qui seront rapidement imités à Venise, en particulier par Giuseppe Briati dans sa fabrique des Carmini.

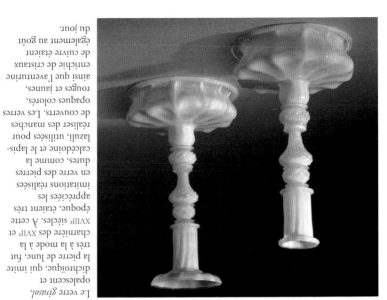

Les verres du XVIIIe siècle se distinguent par leur hauteur inhabituelle et la virtuosité de leurs décorations polychromes. Les fleurs bicolores modelées à chaud avant d'être appliquées sont une expression du goût de l'époque pour la polychromie et les motifs floraux, que l'on retrouve aussi dans la porcelaine de Sèvres.

Bourgeois, verre girasol, 1700-1710

Le verre girasol, opalescent et dichroïque, qui imite la pierre de lune, fut très à la mode à la charnière des XVIIe et XVIIIe siècles. À cette époque, étaient très appréciées les imitations réalisées en verre des pierres dures, comme la calcédoine et le lapis-lazuli, utilisées pour réaliser des manches de couverts. Les verres opaques colorés, rouges et jaunes, ainsi que l'aventurine enrichie de cristaux de cuivre étaient également au goût du jour.

Coupe Gonzague,
1500-1520

Calice *a retortoli*,
deuxième moitié
du XVIᵉ siècle

Le Caravage,
Bacchus, 1595-1597

À partir de la fin du XVᵉ siècle et tout au long du siècle suivant, les plus importantes familles nobles et de la haute bourgeoisie européenne commandent souvent des verres soufflés ornés de leurs armes à l'occasion de mariages. Ceux-là pouvaient être disposés sur des dressoirs, à la façon des maïoliques et de l'argenterie, en témoignage du goût raffiné et de la richesse de leur propriétaire. Pour autant, ils avaient aussi une fonction utilitaire à l'occasion de banquets donnés pour célébrer un mariage ou un événement prestigieux. Ces services pouvaient inclure des coupes à pied, des assiettes, des verres et des brocs. On en conserve portant les armes d'Anne de Bretagne, Marguerite d'Autriche, des papes Léon X et Clément VII, ainsi que de familles de marchands de Nuremberg et d'Augsbourg.

À Murano, [...] ils en font pour les Allemands qu'ils appellent flûtes, qui ont une demi-aune de hauteur qu'il est impossible de vider si quelqu'un ne vous aide à en soutenir le pied. [...] Ils en font d'autres pour les Italiens qui sont plats comme des assiettes et aussi larges, il faut du flegme pour boire dans ces espèces de verres.
Richard Lassels, *The Voyage of Italy*, 1670

Surtout de table en verre à forme de jardin reposant sur un miroir, 1750-1775

Francesco Guardi, *Concert de dames en l'honneur des comtes du Nord donné au Casino dei Filarmonici, à San Moisè*, 1782

Fauteuil orné d'une marqueterie de verre, Giuseppe Briati, 1740-1760

En 1755, le gouvernement fit don à l'Électeur de Cologne, en visite à Venise, d'«un surtout de table en cristal de diverses couleurs représentant un jardin, réalisé avec beaucoup de savoir-faire par l'atelier du fameux artiste de Murano, Giuseppe Briati». L'année suivante, lady Mary Wortley Montagu décrivait à sa fille une nouveauté vénitienne: «une suite de meubles, d'un goût entièrement nouveau, consistant en huit grands fauteuils, le même nombre de candélabres, une table et un miroir, tous en verre, dont il est impossible d'imaginer la beauté. […] Le prix demandé est de quatre cents livres sterling. Ils seraient tout à fait appropriés à la décoration de l'appartement d'un prince.»

Miroirs et lustres, les inventions du baroque

Aux XVIIe et XVIIIe siècles, les verriers vénitiens conservent leur prestige en élaborant de nouveaux modèles. Ainsi la mode du chocolat et du café est-elle à l'origine de la création d'objets liés à ces nouvelles boissons, telle la trembleuse. Dans le cadre des échanges diplomatiques, la République de Venise offrait aux souverains étrangers et à leur entourage des verres soufflés richement décorés et des *deseri*, surtouts de table, dont certains mesuraient jusqu'à deux mètres. Parmi ces nouvelles créations, figurent aussi les *ciocche*, lustres en verre soufflé, ornés de feuilles et de fleurs. Mais les éléments décoratifs les plus caractéristiques de Venise sont depuis le XVIe siècle les miroirs. Ils requéraient la collaboration de divers artisans, Murano produisant les plaques à miroirs que les miroitiers établis à Venise polissaient à la feuille d'étain. Les cadres en verre étaient aussi extrêmement raffinés.

Trembleuse, Verrerie Miotti, 1730-1750

Après avoir visité une manufacture de glaces à Murano, Charles de Brosses, historien érudit, écrit en 1739 : « Elles ne sont pas aussi grandes ni aussi blanches que les nôtres, mais elles sont plus transparentes et moins sujettes à avoir des défauts. On ne les coule pas sur des tables de cuivre comme les nôtres ; on les souffle comme des bouteilles. » Il décrit aussi d'une façon très précise la fabrication de la plaque, depuis la transformation d'un verre soufflé ovale en un grand cylindre, qui, ensuite, « d'un seul coup de ciseau », est coupé et devient une plaque.

Citron, 1700-1725

Pendant le cortège nuptial et à la fin des banquets étaient présentés
des objets figurant des allégories de la Justice et autres *Triomphes*.

balance, toute recouverte d'or. Ordine de le noze Sfortia Aragonia, 1475

Datant du dernier quart du XVe siècle, on connaît quelques verres soufflés bleus décorés sur le thème profane des *Triomphes*, etc. Ce bleu intense et brillant est d'ailleurs une des couleurs prédominantes de la production vénitienne de la première Renaissance (1450-1530). Souvent désignée sous le terme *paonazzo*, bleu paon, cette couleur avait été assez peu appréciée pendant plusieurs siècles, mais on avait fini, à la fin du Moyen Âge, par y voir une couleur aristocratique. Par ailleurs, elle ne posait pas de problèmes particuliers lors de la fusion du verre. Son colorant, l'oxyde de cobalt, pouvait être adopté aussi bien pour le *vitrum blanchum* (verre blanc) ordinaire que pour le cristal.

Girolamo Romanino, *Le Repas chez Simon*, vers 1544

Aiguière en cristal ornée des blasons de deux familles de Nuremberg, début du XVIe siècle

Sur ce détail d'un tableau de Romanino (ci-dessus), l'on peut voir une *inghistera* pour verser le vin, deux verres et une salière ornée d'un nœud de losanges dorés, tous de cristal, telle que celle représentée ci-contre.

Salière, cristal, 1525-1550

La table à la Renaissance

Les événements les plus importants de la vie sociale et politique donnaient lieu à de somptueux banquets, où les plats les plus élaborés étaient servis sur une vaisselle précieuse, accompagnée d'argenterie et de maïoliques peintes, ainsi que de produits des ateliers de Murano, souvent fruits d'une commande. Sur la table, étaient présentés des tasses, de grands plats, des coupes, avec leur soucoupe, des brocs et, avant tout, des verres et des *inghistere* (bouteilles pansues à long col, de différentes dimensions), qui contenaient le vin.

Ces vins sont toujours apportés dans la pièce où les hôtes prennent leur repas, dans certains grands verres appelés inghistere. *[…] D'où les domestiques qui servaient à table versaient le vin dans des verres plus petits, qu'ils présentaient aux hôtes.*
Thomas Coryat, *Crudities*, 1611

Aiguière (broc) *a retortoli*, deuxième moitié du XVIᵉ siècle

Calice avec nœud à motif de losanges, 1525-1550

Paris Bordone, *La Cène* (détail), milieu du XVIᵉ siècle

On trouvait à Murano deux modèles de fours : l'un destiné à la préparation de la fritte, et l'autre, de forme circulaire, à la fusion et l'élaboration des objets. Il était constitué d'une chambre inférieure pour la combustion du bois, d'une chambre intermédiaire comportant le creuset et les orifices par lesquels les ouvriers prélevaient le verre, et d'une chambre supérieure pour la seconde cuisson.

Gamme de couleur du verre

Agricola, *De re metallica*, gravure, 1554-1556

Bol à couvercle (détail et ensemble), gravé à la pointe de diamant, deuxième moitié du XVIᵉ siècle

La technique de gravure à la pointe de diamant sur verre soufflé, initiée à partir de 1549, s'inspire des motifs décoratifs alors en vogue à Venise : sirènes tenant des cornes d'abondance, dragons, mascarons, guirlandes, enroulements, s'achevant parfois par des tritons et des têtes de griffon. On y intégrait souvent aussi le blason des familles nobles.

Autre invention, dans les années 1560, la fabrication à chaud du verre craquelé, fondée sur le choc thermique provoqué par l'immersion dans l'eau d'un verre incandescent. Trente-huit verreries de ce type ont été inventoriées dans la résidence de Charles Quint et de Philippe II, au palais du Pardo. Elles pouvaient aussi faire partie de trousseaux de mariage, comme les seaux à eau bénite. La jeune épouse devait s'en servir chaque jour pour bénir le lit conjugal avec l'aspersoir.

Seau à glace, verre craquelé et feuille d'or, 1560-1570

Coupe nuptiale en verre bleu à décor d'émail orné du *Triomphe de la Justice*,
dernier quart du XVᵉ siècle

Sur ce char triomphal était assise la Justice avec une épée, et u

Ce flacon est inspiré d'objets en métal produits dans le monde islamique, destinés à contenir des eaux parfumées, dont de l'eau de rose. Ces nouvelles créations de Murano faisaient partie des objets de toilette des dames de la Renaissance et étaient à ce point appréciées au-delà des Alpes qu'on en connaît des exemplaires décorés aux armes d'époux appartenant à deux importantes familles de Nuremberg.

Le prestige des verres peints

Les verriers de Murano qui possédaient un savoir-faire technique étendu fabriquaient aussi bien l'objet de base destiné à être peint que les émaux aux couleurs vives, fondus sur l'île et réduits en poudre, utilisés pour le décorer. Après leur décoration, les verriers procédaient à la délicate opération de la recuisson, en les remettant en contact avec le feu dans le four de travail. Le décor lui-même était confié aux peintres émailleurs et pouvait atteindre la complexité de véritables compositions picturales tant religieuses que profanes – la Fuite en Égypte, l'Adoration des Mages ou la Chevauchée à la fontaine de l'Amour. Cette activité était très probablement confiée à des peintres déjà experts dans d'autres domaines, par exemple la miniature. Parmi les premiers verres émaillés, on connaît deux exemplaires en cristal peint ayant appartenu au duc de Ferrare, cités en 1465. À partir de cette époque, la production de verres émaillés est très abondamment documentée.

Flacon en cristal décoré aux armes des Hirschvogel et des Höltzel, de Nuremberg, 1510-1511

Verre, cristal, émaux, gravure à la feuille d'or, 1500-1510

Le verre *lattimo*, blanc opaque, est une imitation de la porcelaine, dont on ignorait le secret de fabrication en Europe mais qui était connue grâce aux exemplaires importés de Chine à Venise. Les motifs décoratifs – une jeune dame et un joueur de luth – sont occidentaux et inspirés de figures peintes par Vittore Carpaccio (v. 1460-v. 1526). Il s'agit probablement d'une *coppa amatoria* commandée à l'occasion d'un mariage ou de fiançailles.

Coupe *lattimo*, émaux et feuille d'or, 1500-1510

Acquamanile en verre calcédoine, début du XVIᵉ siècle

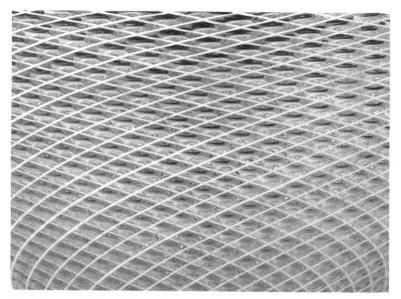

L'invention du verre filigrané *a reticello*, une technique très complexe, remonte au milieu du XVIe siècle. On prenait deux boules ayant chacune des baguettes de *lattimo* dans des sens inverses, on les soufflait l'une à l'intérieur de l'autre, et on obtenait ainsi des vases caractérisés par un motif réticulé régulier de *lattimo*, enserré dans une fine paroi de cristal. Ces verres sont plus rares que ceux *a retortoli*.

Coupe *a reticello* (détail et ensemble), 1550-1575

Les couleurs les plus appréciées à Murano étaient le bleu, obtenu par l'adjonction d'oxyde de cobalt au verre incolore ou au cristal, et l'*acquamarina*, produite grâce aux oxydes de cuivre. L'oxyde de manganèse était utilisé pour décolorer le verre ou, en grande quantité, pour le colorer, le plus souvent en rose ou couleur améthyste, puis en violet et enfin en noir. L'or et le cuivre produisaient une couleur rouge. La calcédoine comprenait divers colorants, dont le sel d'argent. Les oxydes étaient préparés par les verriers selon des procédés inspirés de l'alchimie.

Matériaux avant fusion

De la fusion au soufflage, le travail du verrier

À Murano, le travail du verre est une tradition pluriséculaire. Au fil du temps, les verriers ont consigné dans les *ricettari* leurs recettes sur les matières premières utilisées, la façon de les dépurer, les proportions à respecter dans leurs mélanges, les techniques de fusion et autres secrets. Le verre est obtenu par fusion d'un mélange de deux matières premières principales : la silice et les cendres végétales. Ce mélange, ou fritte, est fondu à nouveau après adjonction de composants colorants, décolorants et opacifiants. Sur cette base, diverses améliorations ont été apportées, permettant d'obtenir toutes les variantes qui font l'immense diversité du verre vénitien. Mais c'est le savoir-faire du verrier, soufflant, avec sa canne, cette matière première, qui a fait la notoriété de Murano.

De plus en plus habiles dans la manipulation du verre incandescent, les verriers inventèrent des procédés techniques stupéfiants pour l'époque, et d'un raffinement extrême. Ainsi naquit, autour de 1527, le verre filigrané *a retortoli*, dont la fabrication reposait sur la préparation, au préalable, de baguettes en cristal dotées de fils intérieurs en *lattimo* tordus. Les segments de ces baguettes étaient rapprochés parallèlement et fondus de manière à former une plaque que l'on cueillait au bout de la canne de soufflage jusqu'à obtenir des formes élaborées, très peu épaisses. Ces nouveaux verres soufflés remportèrent d'emblée un grand succès auprès des amateurs les plus prestigieux et exigeants de l'époque. Isabelle d'Este, duchesse de Mantoue, et le sultan ottoman passèrent des commandes à l'atelier de la famille Serena, qui fut le premier à produire des verres à filigrane.

Gourde de pèlerin à filigrane *a retortoli* et soufflé dans un moule, fin du XVIe-début du XVIIe siècle

Cette acquamanile d'une forme encore caractéristique du gothique tardif est inspirée des modèles en métal émaillé importés du Levant. Les verres soufflés en verre calcédoine – l'une des productions majeures et des plus sophistiquées des ateliers de Murano – étaient particulièrement appréciés des plus hautes classes de la société. On en connaît des exemplaires ayant appartenu à Éléonore d'Aragon, épouse du duc Hercule Ier d'Este, et au banquier florentin Filippo Strozzi.

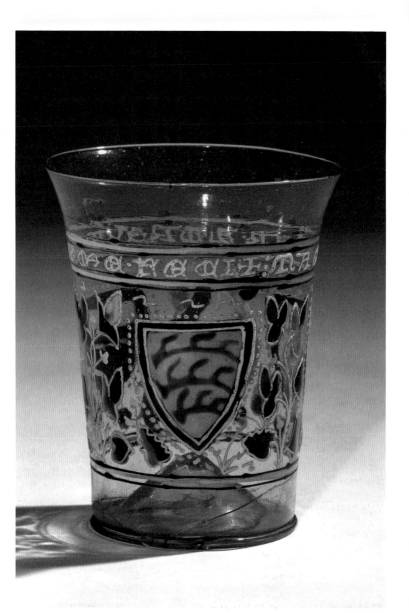